D1278587

ANNABEL KARMEL
C'est moi
QUI CUISINE !
La cuisine en fête !
ERPI

Un livre Dorling Kindersley
www.dk.com

Édition originale publiée en Grande-Bretagne en 2005 par Dorling Kindersley Ltd, Londres, sous le titre *Children's First COOKBOOK*

POUR L'ÉDITION ORIGINALE

ÉDITEUR ARTISTIQUE • Claire Patané
ÉDITEUR • Elinor Greenwood
DESIGN • Sadie Thomas
PHOTOGRAPHIES • Dave King
ARRANGEMENT DES PLATS • Dagmar Vesely, Caroline Mason

DIRECTION ÉDITORIAL • Sue Leonard
DIRECTION ARTISTIQUE • Clare Shedden
DESIGN DE COUVERTURE • Victoria Harvey
PRODUCTION • Alison Lenane
CONCEPTION PAO • Almudena Díaz

POUR L'ÉDITION FRANÇAISE

TRADUCTION FRANÇAISE • Lise-Eliane Pomier
ADAPTATION FRANÇAISE • Atelier Brigitte Arnaud

5757, RUE CYPIHOT
SAINT-LAURENT (QUÉBEC)
H4S 1R3

www.erpi.com/documentaire

Dépôt légal : 4e trimestre 2005
Bibliothèque nationale du Québec
Bibliothèque nationale du Canada

ISBN 2-7613-1321-6
K 13216

Imprimé en Chine
Édition vendue exclusivement au Canada.

Sommaire

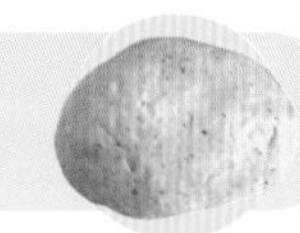

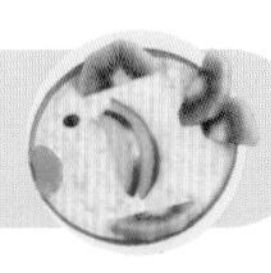

Voici quelques recettes de cuisine spécialement choisies pour les enfants. Elles sont faciles à réaliser par tous les cuisiniers en herbe, dès trois ans. C'est amusant à faire, c'est joli à voir et c'est très bon à manger !

Les enfants adorent cuisiner, pétrir la farine, rouler la pâte ou casser des œufs. Sans même s'en apercevoir, ils apprennent à compter, à mesurer, à peser, et ils se familiarisent avec la notion de temps. Préparer ces petits plats avec vos enfants est aussi une merveilleuse occasion de passer du temps ensemble.

Vous trouverez dans ce livre de délicieuses recettes pour réaliser des entrées, des plats, de bons gâteaux et de fabuleux desserts. Les enfants prendront plaisir à déguster les bonnes choses qu'ils auront préparées eux-mêmes et ils seront fiers de les partager avec d'autres. Cuisiner, c'est aussi apprendre ce qui est bon pour la santé.

Prenez le temps de cuisiner avec votre enfant et, surtout, amusez-vous bien !

Annabel Karmel

Les bons outils :

Le bon geste :

Battre

Pétrir

Mélanger

Râper

Écraser

Faire fondre

Réduire en purée

Tamiser

Faire cuire

Fouetter

Pour travailler la pâte :

1. Étale la pâte avec le plat de la main et replie-la vers toi.

2. Tapote la pâte avec l'intérieur du poignet pour l'éloigner de toi.

3. Fais-la pivoter d'un quart de tour, replie-la, appuie et tourne encore une fois. 10 minutes après, recommence au début.

Ça veut dire quoi ?

1 Ustensiles nécessaires pour cette recette.

2 Nombre de convives, ou nombre d'unités.

3 Aide d'un adulte obligatoire !

On ne fait pas d'omelette sans casser des œufs !

Omelette soleil

Une omelette toute dorée
pour bien commencer la journée !

Marche à suivre...

1 **Casse les œufs** un par un : frappe la coquille sur le bord d'un bol et écarte les deux moitiés délicatement.

2 **Bats les œufs** au fouet avec un peu de sel et de poivre.

3 **Fais fondre le beurre** à feu moyen. Verse le lait et les œufs en remuant sans arrêt.

4 **Laisse cuire deux minutes** pour que l'omelette prenne et dépose-la au centre de l'assiette.

Dessine les rayons du soleil avec des languettes de pain grillé !

Crêpes délices

Une pâte légère et succulente, à retourner... comme une crêpe !

Marche à suivre...

1 **Tamise la farine** et le sel dans un saladier.

2 **Fais un puits** et casse les œufs. Mélange bien à l'aide d'un fouet. Verse l'eau et le lait dans un pichet.

3 **Verse le liquide** petit à petit, en battant bien pour l'incorporer. Fais fondre 30 ml (2 c. à s.) de beurre et ajoute-le à la pâte. Filtre-la au travers d'un tamis pour ôter les grumeaux.

4 **Fais fondre le beurre** dans une petite poêle pour en graisser le fond.

5 **Verse la pâte.** Il en faut environ 30 ml (2 c. à s.) par crêpe. Incline la poêle pour étaler la pâte.

6 **Laisse cuire une minute,** détache les bords de la crêpe avec une spatule et retourne-la. Fais-la cuire 30 sec. de l'autre côté.

7 **Garnis tes crêpes** de fruits frais et ajoute plein de sirop d'érable !

Spaghettis maestro

À servir avec une bonne sauce tomate à l'italienne, pour réveiller les papilles !

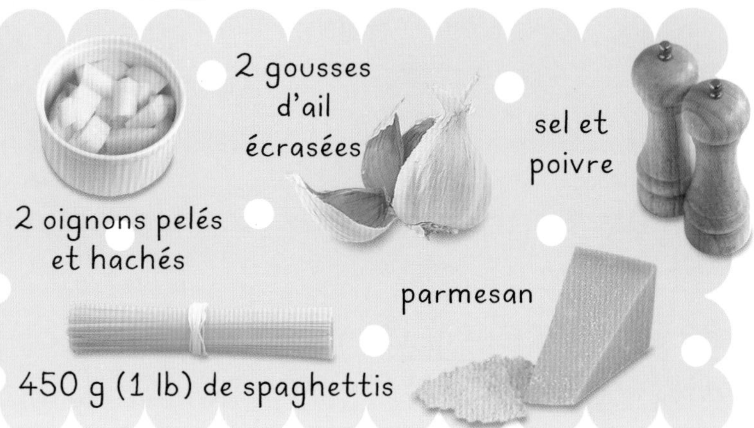

Il te faut :

- 60 ml (4 c. à s.) d'huile d'olive
- 15 ml (1 c. à s.) de coulis de tomate
- 5 ml (1 c. à t.) de vinaigre balsamique
- 5 ml (1 c. à t.) de sucre
- 796 ml (27 oz) (1 grosse boîte) de tomates concassées
- 2 oignons pelés et hachés
- 2 gousses d'ail écrasées
- sel et poivre
- parmesan
- 450 g (1 lb) de spaghettis

Marche à suivre...

1 **Fais chauffer l'huile dans une sauteuse.** Ajoute l'ail et les oignons et laisse cuire 5 minutes : les oignons doivent être transparents.

2 **Ajoute les tomates,** le coulis, le vinaigre, le sucre, une pincée de sel et un peu de poivre. Ferme le couvercle et laisse mijoter 20 minutes.

3 Jette les spaghettis

dans une grande casserole d'eau bouillante. Le temps de cuisson est indiqué sur le paquet.

4 Râpe le parmesan.

Attention à tes doigts ! Égoutte les pâtes, sers-les dans des assiettes creuses et nappe-les de sauce.

Salade de pâtes

À peine le temps d'égoutter les pâtes et c'est prêt !

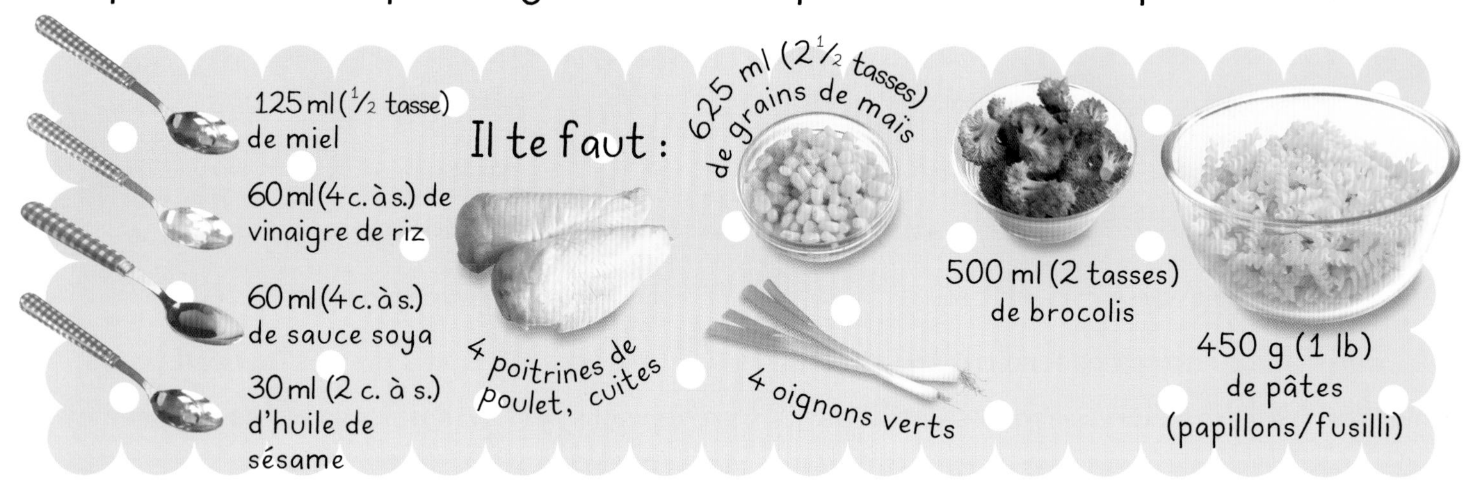

Marche à suivre...

1 Fais cuire les pâtes en respectant le temps de cuisson indiqué sur le paquet. À 3 minutes de la fin, ajoute les brocolis.

2 Coupe le poulet en fines lamelles. Pense à retirer la peau.

3 **Hache soigneusement** les oignons verts.

4 **Mélange le miel,** le vinaigre, la sauce soya et l'huile pour préparer la sauce.

5 **Verse les pâtes** dans un saladier avec les brocolis, le poulet, les oignons et le maïs. Ajoute la sauce.

6 **Voilà, c'est fait!** À table!

en

1

Le secret d'une succulente pâte à pizza, et deux supergarnitures !

Pâte à pizza

Il te faut :

7 ml (1½ c. à t.) de levure instantannée

5 ml (1 c. à t.) de sucre

30 ml (2 c. à s.) d'huile d'olive + pour graisser

250 ml (1 tasse) d'eau tiède

750 ml (3 tasses) de farine + pour le plan de travail

sel et poivre

Marche à suivre...

1 **Mélange la levure** avec 45 ml (3 c. à s.) l'eau. Laisse gonfler une izaine de minutes.

2 **Tamise la farine** dans un saladier. Ajoute le sucre, le sel et le poivre et fais un puits au milieu.

3 **Verse l'eau,** la levure et l'huile dans le puits. Pétris le mélange à la main pour former une pâte.

4 **Farine un plan** de travail propre. Travaille la pâte .0 minutes, pour qu'elle soit ouple et élastique.

5 **Graisse un grand** saladier pour y déposer ta pâte et couvre-le de pellicule de plastique. Laisse lever à la température ambiante : la pâte doit doubler de volume.

6 **Est-ce que c'est prêt ?** Fais des trous dans la pâte avec tes doigts. S'ils restent formés, c'est que la pâte est prête. Façonne à la main une grosse galette et dépose-la sur le plan fariné.

Pizzas 2 en 1

Tu peux varier la garniture selon tes goûts. Pour étonner tes copains, dessine à tes pizzas une bouche, un nez, des yeux... Qui mangera qui?

Marche à suivre...

1 **Travaille à nouveau ta pâte.** Divise-la en quatre. Au rouleau, étale 4 galettes d'environ 18 cm (7 po.) de diamètre et dépose-les sur une plaque de cuisson.

2 **Préchauffe le four** à 220 °C (425 °F). Couvre les galettes de passata.

3 Visage de clown

Personnalise tes pizzas : tomate cerise pour le nez rouge, olives pour les yeux, lamelles de poivron pour les cheveux... ou tout ce que tu voudras !

4 Tu peux aussi

agrémenter ta pizza de dés de poulet ou de jambon, de champignons, d'oignons verts hachés...

5 Saupoudre tes pizzas

de fromage râpé et mets-les au four jusqu'à ce qu'elles soient bien dorées. Laisse-les cuire 12 minutes.

Souris gourmandes

Souris-moi, petite souris, sinon, je vais te manger !

Marche à suivre...

1 Lave les pommes de terre et essuie-les. Perce quelques trous dans la peau avec une fourchette et dépose-les sur une plaque de cuisson. Badigeonne-les d'huile.

2 Fais cuire les pommes de terre (environ 1 h à 200 °C (400 °F) si elles sont à peu près grosses comme ton poing fermé).

3 Laisse refroidir un peu. Puis découpe une calotte et récupère la chair du milieu sans abîmer la peau. Tu peux jeter la calotte (ou la manger).

4 Dans un saladier, mélange la pomme de terre récupérée avec le beurre le lait et le fromage. Ajoute du sel et du poivre et replace le mélange dans la peau des pommes de terre.

5 Couvre-les de fromage râpé et passe-les quelques minutes au gril pour les faire dorer.

6 Fais un petit nez avec une demi-tomate et des moustaches en ciboulette. Fais-les tenir avec des piques à apéritif.

7 Pour finir, fabrique des yeux avec des raisins, des oreilles avec des radis, des queues avec des verdures d'oignon...

Poulet à l'aigre-douce

Recette du chef pour des beignets tendres aux légumes de printemps.

Marche à suivre...

1 Fais cuire le riz selon les instructions inscrites sur le paquet.

2 Pour préparer la sauce, mélange tous les ingrédients.

3 Dans un saladier mélange les ingrédients prévus pour la pâte.

4 Trempe les morceaux

de poulet dans la pâte et fais-les frire dans la moitié de l'huile. Egoutte-les et pose-les dans une assiette.

5 Fais revenir

les légumes dans le reste de l'huile, pendant 4 à 5 minutes.

6 Ajoute la sauce

et laisse cuire ensemble 1 minute. Ajoute le poulet et l'oignon vert et fais chauffer le tout.

7 Pour servir,

répartis le riz dans des assiettes creuses et garnis-le de beignets et de légumes.

Reine des rainettes

Le prince charmant se déguise en grenouille? La sauce à l'avocat aussi!

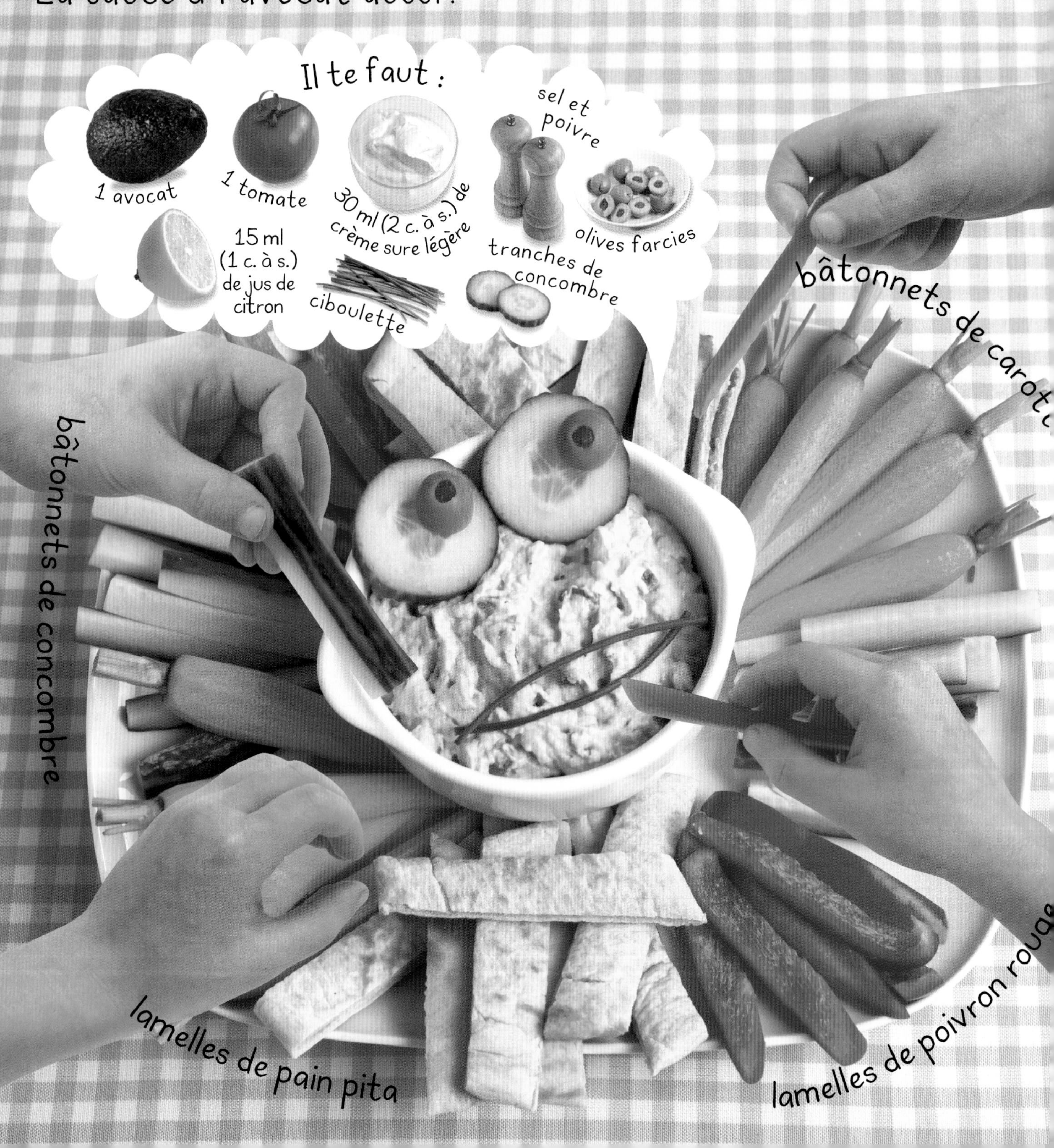

1 Coupe l'avocat en deux, enlève le noyau et creuse la peau pour détacher la chair.

2 Ajoute le jus de citron frais pour que l'avocat garde sa jolie couleur. Une cuillerée suffit.

3 Réduis en purée l'avocat citronné, ajoute la crème sure et mélange bien.

4 Coupe la tomate en petits morceaux, hache la ciboulette (25 ml ou 1½ c. à s.) et incorpore-les à la purée.

5 Mouline du sel et du poivre pour assaisonner.

6 Fabrique le visage de ta grenouille verte en lui ajoutant des yeux en concombre, des olives pour les yeux, etc.

Coulis de fruits exotiques

Une purée de fruits d'été, rafraîchissante comme la mer !

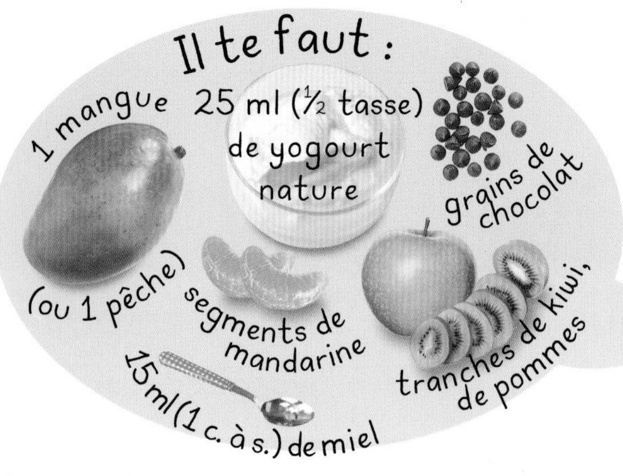

Marche à suivre...

1 Coupe la mangue en deux et découpe la pulpe en dés.

Retourne doucement la peau. Détache les dés de fruit.

2 Réduis la mangue en purée dans un saladier avec une fourchette ou un presse-purée.

3 **Mélange la purée de mangue** avec le yogourt et le miel.

4 **Pour décorer ton bol,** un joli poisson : mandarine pour la bouche, rondelles de pomme et de kiwi pour les nageoires et la queue, un œil en chocolat...

5 **Pour accompagner ta purée,** coupe des fruits frais en morceaux et enfile-les sur des brochettes de bois.

Petits gâteaux 1-2-3

Des petits gâteaux parfaitement réussis, juste le temps de dire 1, 2, 3 !

1

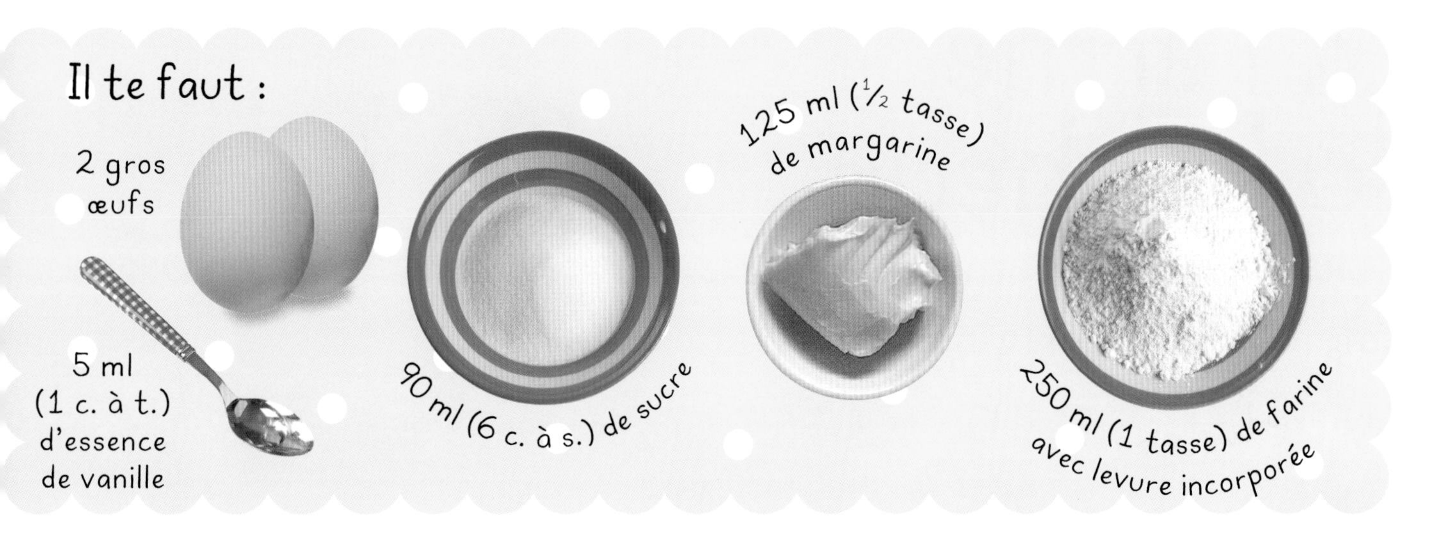

Marche à suivre...

1 Préchauffe le four à 180 °C (350 °F.)
Verse tous les ingrédients dans un saladier et mélange bien. La pâte doit être lisse et devenir un peu plus claire.

2 Dépose des moules de papier dans un moule à muffins et remplis chacun à moitié.

3 Enfourne les gâteaux et laisse cuire de 18 à 20 minutes. Ils doivent être bien levés, dorés et souples (attention, c'est chaud !).

La ferme du bonheur

Notre grand concours : qui réussira l'animal le plus original ?

Il te faut :

1 Prépare le glaçage :

tamise le sucre en poudre dans un bol. Dans un second bol, travaille le beurre en crème. Verse le sucre dans le beurre, petit à petit, en remuant bien. À la fin, ajoute l'eau.

2 Pour les petits moutons :

étale le glaçage en couche épaisse sur chaque gâteau.

3 Pose les marshmallows,

un gros pour la tête, des moitiés pour les oreilles, des mini pour la toison laineuse.

4 Pour les cochons roses :

ajoute un peu de colorant rose au glaçage et étale-le sur chaque petit gâteau.

5 Fais-lui un groin

avec un marshmallow ; coupe des rondelles pour les oreilles.

6 Pour les petits chiens :

étale le glaçage, colle deux langues de chat pour les oreilles, ajoute un nez et des yeux en chocolat.

7 Dessine les détails

avec un marqueur à pâtisserie.

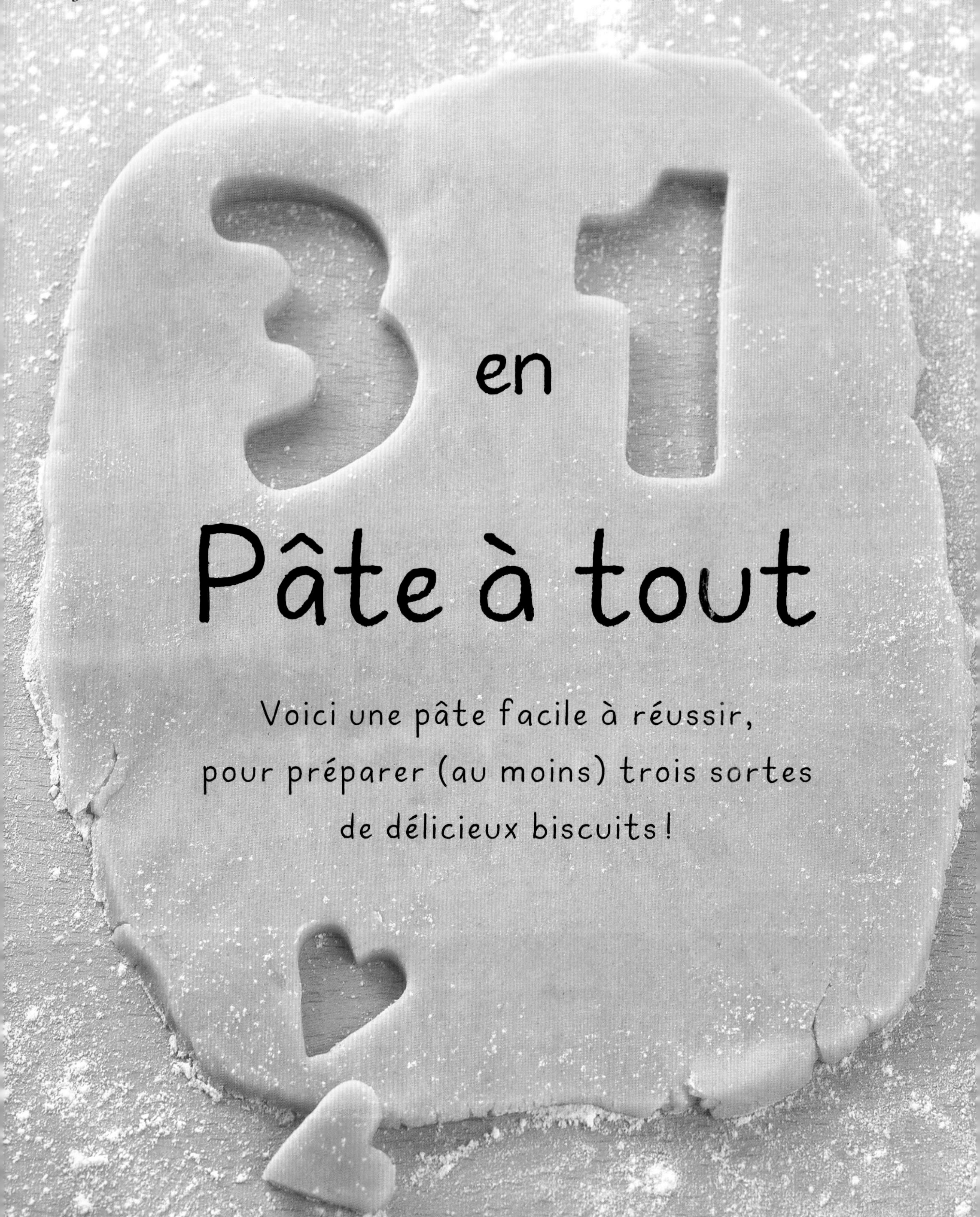

3 en 1 Pâte à tout

Voici une pâte facile à réussir, pour préparer (au moins) trois sortes de délicieux biscuits !

Il te faut :

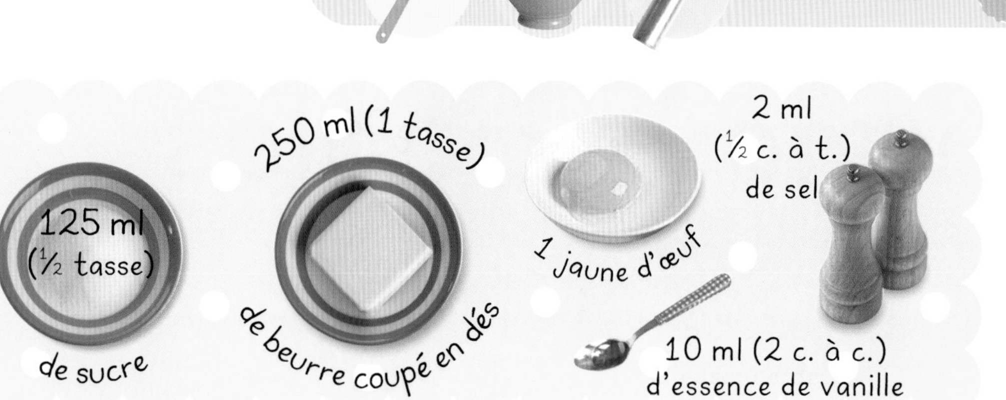

- 625 ml (2 ½ tasses) de farine + pour fariner
- 125 ml (½ tasse) de sucre
- 250 ml (1 tasse) de beurre coupé en dés
- 1 jaune d'œuf
- 2 ml (½ c. à t.) de sel
- 10 ml (2 c. à c.) d'essence de vanille

Marche à suivre...

1 Dans un saladier, mélange le beurre et le sucre.

2 Ajoute le jaune d'œuf et l'essence de vanille, et mélange intimement le tout.

3 Ensuite, ajoute la farine et le sel, et remue à la cuillère pour obtenir une pâte lisse.

4 Fais-en une grosse boule, enveloppe-la dans la pellicule de plastique et place-la 30 minutes au réfrigérateur.

Animaux rigolos

Avec de simples découpes,
fabrique plein d'animaux rigolos !

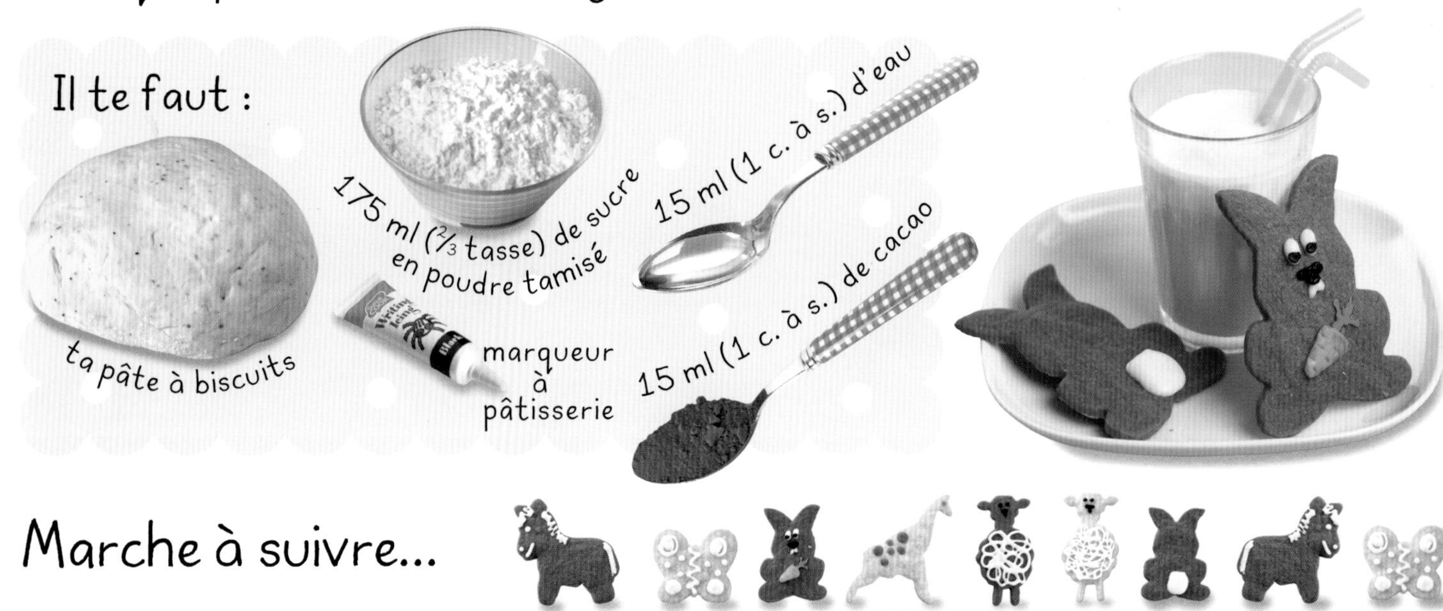

Marche à suivre...

1 **Préchauffe le four** à 180 °C (350 °F). Divise la pâte en deux. Noircis une moitié en la roulant dans la poudre de cacao.

2 **Sur un plan de travail** fariné, roule la pâte pour qu'elle ait une épaisseur de ½ cm (¼ po).

3 **Découpe la pâte** avec le moule et pose les biscuits sur du papier sulfurisé. Fais une boule avec les restes de pâte et recommence.

4 **Fais cuire les biscuits** 12 minutes pour qu'ils soient bien dorés. Laisse-les refroidir sur une grille.

5 **Mélange le sucre** en poudre et l'eau et, à l'aide d'une poche à douille, décore tes biscuits.

6 **Ajoute les détails** à l'aide d'un marqueur à pâtisserie.

Petits cœurs

Des biscuits au cœur tendre, à offrir
à la personne que tu aimes le plus… ou pour toi !

Marche à suivre…

1 Préchauffe le four à 180 °C (350 °F). Roule la pâte pour qu'elle ait une épaisseur de ½ cm (¼ po). Découpe des cercles avec une forme de 6 cm (2 ½ po) de diamètre.

2 Dépose les rondelles sur un plan de travail. Découpe des petits cœurs (2 cm / ¾ po) au milieu de la moitié de tes biscuits.

3 Laisse cuire les biscuits 12 minutes. Laisse-les refroidir complètement.

4 Pour fabriquer le glaçage, travaille le beurre à la cuillère avec le sucre en poudre, l'eau et l'essence de vanille. Recouvres-en les biscuits entiers (pas ceux qui ont une fenêtre !)

5 Dépose une grosse cuillerée de confiture sur le glaçage des biscuits entiers. Pose les biscuits « à fenêtre » par-dessus ! C'est superbe !

Biscuits arc-en-ciel

Pour faire de jolies rondelles de toutes les couleurs !

Il te faut :

- quelques gouttes de colorant rose
- ta pâte à biscuits
- 30 ml (2 c. à s.) de canneberges séchées et hachées
- 15 ml (1 c. à s.) de cacao

Marche à suivre...

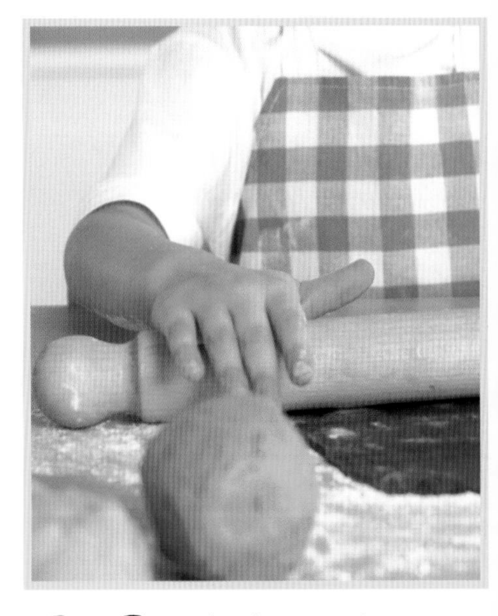

1 Divise ta pâte en quatre. Teinte la première boule en la roulant dans le cacao et la deuxième avec le colorant et les canneberges. Les deux autres restent nature.

2 Enveloppe les boules dans de la pellicule de plastique et place-les 30 minutes au réfrigérateur. Préchauffe le four à 180 °C (350 °F).

3 Roule la pâte sur un plan fariné. Chaque rectangle doit mesurer environ 18 x 20 cm (7 x 8 po).

4 **Pour un gâteau roulé,** pose la pâte nature sur la pâte chocolatée ou colorée. Coupe des bords bien nets et forme une bûche.

5 **Pour un gâteau marbré,** travaille les pâtes toutes ensemble et forme une bûche en longueur.

6 **Coupe les bûches** en rondelles de ½ cm (¼ po). Range les rondelles sur une plaque de cuisson couverte de papier sulfurisé.

7 **Maintenant,** laisse cuire tes jolis biscuits de 15 à 18 minutes... et régale-toi !

Brownies au chocolat

Est-ce que quelqu'un, ici, aime le chocolat?
Moi, moi, moi!

Marche à suivre...

1 Garnis de pellicule de plastique un moule carré de 20 cm (8 po) de côté. Laisse dépasser largement sur les bords.

2 Remplis un sac de plastique avec les biscuits, ferme-le bien pour éviter de salir partout, et écrase-les au rouleau.

3 Fais fondre le chocolat, le beurre et le miel dans un bol posé sur une casserole d'eau chaude, en remuant de temps en temps.

4 **Retire le bol du feu** et incorpore les biscuits écrasés, les abricots, les raisins et les noix. Mélange bien.

5 **Verse la pâte** dans le moule. Égalise la surface en tassant bien avec un presse-purée.

6 **Une fois le mélange** refroidi, laisse le plat 2 h au réfrigérateur.

7 **Démoule le gâteau** et enlève la pellicule de plastique. Coupe en 12 petits carrés.
Bon appétit !

Gâteau au fromage et aux framboises

Des framboises, du fromage à la crème et de la crème sure pour faire le meilleur dessert du monde!

Il te faut :

- 125 ml (½ tasse) de beurre
- 250 g (9 oz) de biscuits
- 5 ml (1 c. à s.) d'essence de vanille
- 450 g (1 lb) de fromage à la crème
- 175 ml (¾ tasse) de sucre
- 300 g (10 oz) de framboises fraîches
- 90 ml (6 c. à s.) de sucre en poudre
- 425 ml (1¾ tasse) crème sure

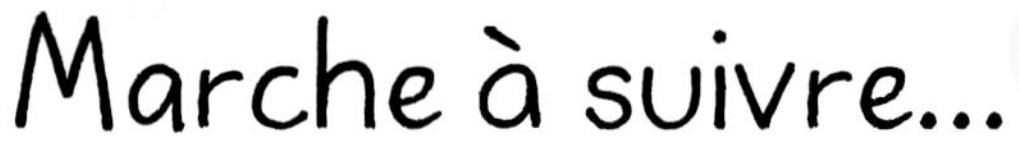

Marche à suivre...

1 Mets les biscuits dans un sac de plastique et écrase-les au rouleau.

2 Fais fondre le beurre dans une casserole. Verse petit à petit les miettes de biscuits et mélange bien.

3 Garnis de pellicule de plastique un moule à gâteau rond de 20 cm (8 po) de diamètre à fond amovible. Verse la pâte à la cuillère, tasse au presse-purée et mets au réfrigérateur.

4 Fais bouillir les framboises avec le sucre en poudre pour les réduire en purée et laisse cuire 10 minutes. Laisse refroidir et passe au tamis.

5 **Dans un saladier,** mélange le fromage à la crème, la crème sure, le sucre et l'essence de vanille.

6 **Étale les ¾ de la garniture** sur la base de biscuits écrasés. Ajoute les 3/4 de la purée de framboises au reste du mélange.

7 **Étale le reste de préparation** mélangée sur la couche blanche. Décore en lignes avec le reste de framboise nature. Utilise une brochette pour bien répartir les framboises.

Réfrigère le gâteau au fromage pendant au moins 2 h, ou mieux, toute une nuit.

Pêche melba

Le plus dur, c'est de ne pas craquer tout de suite!

Il te faut :

400 g (14 oz) de pêches en tranches

100 g ($3\frac{1}{2}$ oz) de framboises

175 ml ($\frac{3}{4}$ tasse) yogourt à boire à la framboise

Marche à suivre...

1 **Écrase les framboises** dans un tamis.

2 **Mélange** tous les ingrédients au mélangeur électrique, sauf deux tranches de pêche. Répartis dans deux verres et décore avec la pêche.

Noix de coco des îles

Un goûter de rêve au parfum de vacances

Il te faut :

125 ml ($\frac{1}{2}$ tasse) lait de coco

300 ml ($1\frac{1}{4}$ tasse) de jus d'ananas

2 boules de crème glacée à la vanille

100 g ($3\frac{1}{2}$ oz) d'ananas

1 **Mélange et c'est tout!** Dépose tous les ingrédients dans le bol du mélangeur, en gardant deux morceaux d'ananas pour décorer. Il ne reste plus qu'à servir ce délicieux lait frappé dans deux grands verres!

Fruits d'été

Le plus rafraîchissant de tous!

Il te faut :

- 2 pêches
- 1 banane
- 60 g (2 oz) de fraises
- 125 ml (½ tasse) de yogourt à la vanille
- 125 ml (½ tasse) de jus d'orange

Marche à suivre...

1 Prépare d'abord les fruits.

Pèle les pêches et la banane et coupe-les en tranches. Enlève la queue des fraises et coupe-les en rondelles.

2 Garde quelques rondelles de

fraise et de banane et enfile-les sur deux pailles. Passe les autres fruits au mélangeur. Répartis le lait frappé dans deux verres et présente-les avec les pailles.

Feux tricolores

Rouge, orange, vert… En route, mauvaise troupe !

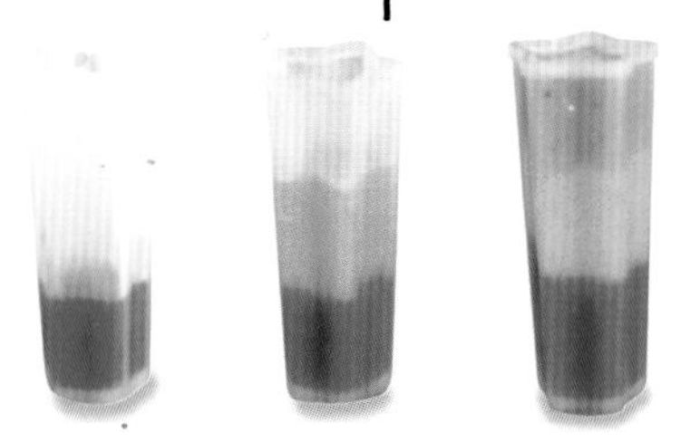

Marche à suivre…

1 Pour le rouge, enlève les graines de la pastèque. Dans le mélangeur, réduis la chair en purée avec 25 ml (1½ c. à s.) de sucre. Remplis au ⅓ des moules à sucettes. Laisse 1 h 30 au congélateur.

2 Pour l'orange, pèle les pêches et passe-les au mélangeur avec 25 ml (1½ c. à s.) de sucre. Verse sur la couleur rouge. Les moules sont donc pleins aux ⅔. Fais durcir au congélateur.

3 Pour le vert, pèle les kiwis. Passe la pulpe au mélangeur avec le reste du sucre. Passe au tamis pour éliminer les graines. Remplis les moules à sucettes jusqu'au bord et replace 1 h au congélateur.

Sorbets aux fruits rouges

zoom!

Il te faut :

- 60 ml (4 c. à s.) d'eau
- 30 ml (2 c. à s.) de sucre
- 120 g (4 oz) de framboises
- 150 g (5 oz) de fraises équeutées, coupées en 2
- le jus de 2 oranges

Marche à suivre...

1 Fais bouillir l'eau dans une casserole avec le sucre. Il doit être complètement fondu.

2 Réduis les fruits rouges en purée et filtre au travers d'un tamis. Ajoute le sirop de sucre et le jus d'orange.

3 Verse le mélange dans les moules à sucettes. Mets les bâtons en place et laisse durcir au congélateur.

Sundae au chocolat

Facile à faire, encore plus facile à manger!

1 Fais fondre la tablette

au caramel dans un bol posé sur une casserole d'eau chaude. Ajoute la crème et mélange bien.

2 Creuse le sommet

de chaque muffin, couronne-le d'une boule de crème galcée et arrose avec le caramel fondu. Miam, miam!

Surprise aux fraises

1 **Casse les meringues** en petits morceaux. Enlève la queue des fraises et réduis la moitié en purée.

2 **Remplis 2 grands verres** en alternant les couches de fraises (morceaux et purée), de crème glacée et de meringue.

3 **Pour finir,** couronne tes coupes d'une boule de crème glacée. Décore d'un peu de purée de fraises et d'un brin de menthe. C'est prêt !

Index

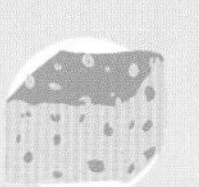

Annabel Karmel a écrit plusieurs livres de cuisine à l'intention des enfants. Douze de ses titres, diffusés dans le monde entier, connaissent un énorme succès auprès de leurs petits lecteurs et de leurs parents.

Annabel est soucieuse de donner aux enfants, dès leur plus jeune âge, le goût d'une nourriture saine et équilibrée. Bien manger ne signifie pas forcément passer des heures devant les fourneaux !

Auteure de nombreuses chroniques dans la presse quotidienne (notamment le *Times* et le *Daily Mail*), elle participe aussi à des émissions de radio et de télévision en qualité de nutritionniste spécialisée dans l'alimentation des plus jeunes.

Visite le site d'Annabel (en anglais seulement)
www.annabelkarmel.com

Remerciements

Un grand merci aux enfants qui ont éclairé de leur sourire les séances photo :

Arabella Earley (agence MOT Junior), Emily Wigodeer, Euan Thomson et Harry Holmstoel (agence Norrie Carr).

Merci également à Penny Alton, Penny Smith et Wendy Bartlett, qui ont contribué avec talent à la réalisation de ce livre.

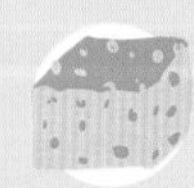